Disney

LA CASA de MICKEY MOUSE

Busca y Encuentra™
LAS DIFERENCIAS

Escrito por Melanie Zanoza
Ilustrado por Art Mawhinney
Ilustraciones adicionales de los Artistas de Libros de Cuentos de Disney
Traducción: Ana Izquierdo/Arlette de Alba

© 2010 Disney Enterprises, Inc. Todos los derechos reservados.

Esta publicación no puede ser reproducida en su totalidad o en parte por ningún medio sin la autorización escrito de los propietarios del copyright. Nunca se otorga autorización para fines comerciales.

Publicado por
Louis Weber, C.E.O., Publications International, Ltd.
7373 North Cicero Avenue, Lincolnwood, Illinois 60712

Ground Floor, 59 Gloucester Place, London W1U 8JJ

www.pilbooks.com

p i kids es una marca registrada de Publications International, Ltd.
Busca y Encuentra es una marca comercial de Publications International, Ltd.

8 7 6 5 4 3 2 1
ISBN-13: 978-1-4127-4735-6
ISBN-10: 1-4127-4735-X

publications international, ltd.
pi kids®

¡Miska, Muska, Mickey Mouse!
Bienvenidos a la Casa de Mickey Mouse. Mis amigos
y yo estamos bailando con la canción "¡Qué bien!"
¿Puedes encontrarnos en nuestra Área Dondequiera?
¿Ves las diferencias?

Pluto

Mickey

Acabamos de utilizar el interruptor para transformar nuestra Área Dondequiera en una cocina y prepararnos para un día de campo. ¿Puedes encontrar los alimentos que llevaremos? ¿Ves las diferencias?

1 cesta

2 manzanas

¿Cómo llegaremos al lugar de nuestro día de campo? ¡Iremos en el Coche de la Casa! ¿Puedes encontrar otros medios de transporte? ¿Ves las diferencias?

Avión

Bicicleta

Globo de la Casa

Ala delta

Carro

Patines de ruedas

Cohete

¡Cielos! Se ha reventado un neumático del Coche de la Casa. ¡Oh, Toodles! Necesitamos una MouskeHerramienta. ¿Qué te parece ésta? ¿Ves otras llaves en algún lugar? ¿Puedes descubrir las diferencias?

Llave de corazón

Llave de rectángulo

Llave de círculo Llave de flor Llave de rombo Llave de triángulo Llave de cuadrado

¿Puedes ayudarnos a encontrar un lugar fabuloso para nuestro día de campo? ¿La Playa Arenosa? No, ¡tiene demasiada arena! Antes de que sigamos buscando, ¿puedes encontrar estas cosas en la playa? ¿Ves las diferencias?

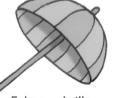

Esta sombrilla

Lentes de sol

Bienvenidos a la Playa Arenosa

¿Haremos nuestro día de campo en la selva lluviosa? ¡Todo está demasiado mojado! ¿Puedes ver algunas criaturas a las que les encanta vivir aquí? Descubre las diferencias.

Este oso hormiguero

Este jaguar

Este mono Esta serpiente Esta mariposa Esta rana Este tucán

El Coche de la Casa nos ha traído al helado Ártico, pero aquí hace demasiado frío como para un día de campo. ¿Puedes encontrar algunos animales que están felices aquí? ¿Ves las diferencias?

Esta foca

Este oso polar

Este pingüino

Este caribú

Este frailecillo

Esta morsa

¡Qué bien! Hemos llegado al Parque de Mickey...
¡un lugar perfecto para nuestro día de campo!
¿Puedes encontrar estos alimentos en el parque?
Descubre las diferencias.

Caja de pasas

Hot dog

Cono de helado

Pretzel

Palomitas de maíz

Barra de cereales

Yogur

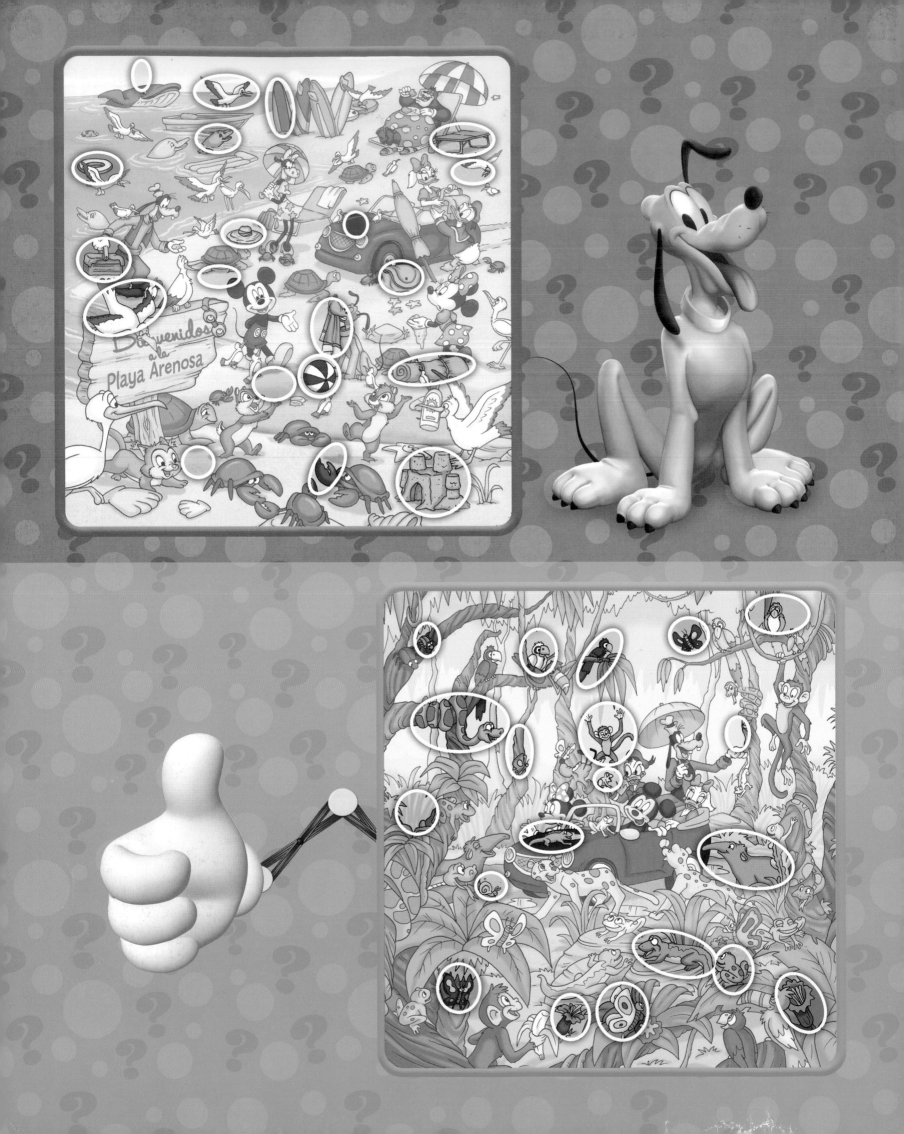